Claudia Souto e Paulo Augusto

Iemanjá

Lendas, arquétipo e teologia

IEMANJÁ |2| Lendas, arquétipo e teologia

Copyright © 2020 Editora Rochaverá Ltda. para a presente edição

Todos os direitos reservados para a Editora Rochaverá Ltda. Nenhuma parte desta edição pode ser utilizada ou reproduzida por qualquer método ou processo sem a expressa autorização da editora.

IEMANJÁ | 4 | Lendas, arquétipo e teologia

Título
Iemanjá
Lendas, arquétipo e teologia

Autores
Claudia Souto / Paulo Augusto

Revisão
Ileizi Jakobovski / Alexandra Baltazar

Capa
Fábio Galasso / Thiago Calamita

Edição e Diagramação
Fábio Galasso

Internacional Standard Book Number
ISBN: 978-65-00-02548-4 / 64 páginas

Sumário

Introdução - 8

Lendas, arquétipo e definições de Iemanjá - 10

Definições - 11

Os Orixás segundo as tradições religiosas - 11

Origem mitológica dos Orixás - 14

Lendas e Histórias do Orixá Iemanjá - 15

Nomenclaturas, cultura e identidade - 18

Arquétipo - 20

O Arquétipo Orixá e a mulher Mãe - 22

Orixá do amor e da morte - 24

Sincretismo - 25

Iemanjá e o sincretismo - 27

Teologia Espírita Iemanjá - 29

Natureza Santa e os Santos - 30

Porque representam as forças da natureza - 34

Teologia espiritual e as águas oceânicas - 36

Segredos e mistérios do mar - 41

Iemanjá, santidade sobre águas oceânicas - 43

Iemanjá Orixá do Mar - 44

Devocionário aos Santos e servos de Deus - 48

Abrigo divino - 49

Conhecendo os Santos - 52

Falando com Deus através dos Santos - 54

Santificados sejam todos os Santos - 56

Benditos sejam todos os Santos - 58

Mar sagrado - 60

INTRODUÇÃO

Este livro surgiu da real necessidade dos espíritas e filhos de Mamãe Iemanjá terem algo segmentado em que pudessem pesquisar e aprender ainda mais sobre essa santidade, fonte de energia de luz espiritual divina de uma forma mais sacrossanta e não somente através das lendas e histórias de vossa unidade.

O conteúdo deste livro está dividido em duas partes, sendo a primeira parte a história sobre as lendas e o arquétipo segundo o entendimento popular e as tradições das religiões de matrizes espírita/africana e a segunda parte um conteúdo teológico espiritual segundo as orientações e ensinamentos de A Bíblia Real, a primeira bíblia espírita do mundo.

E para facilitar este entendimento teológico inserimos uma introdução teológica sobre a mediunidade e as forças espirituais que regem e governam essas forças santificadas em terra para lhe ajudar na busca e no entendimento santo em relação ao trabalho dos Santos em terra.

No final, colocamos alguns conceitos teológicos da doutrina espírita umbandista através da ótica dos espíritos, pois consideramos relevantes que cada ser tenha consciência do caminho que segue, enquanto espírita e devoto dos espíritos.

Para finalizar desejamos que todo este trabalho seja uma mais-valia para todos os que servirem dele, pois o conhecimento teológico é essencial na vida de todos aqueles que busquem crescer e evoluir através dos espíritos.

Os autores:

A Bíblia Real

Lendas, arquétipo e definições de Iemanjá

1. Definições

Cor: Azul claro, branco ou azul escuro

Elemento: Águas salgada

Dia da semana: Sábado

Comemoração: 02 fevereiro

2. Os Orixás segundo as tradições religiosas

    Os Orixás são ancestrais divinizados pelo culto do candomblé, religião trazida da África para o Brasil, durante o século XVI, pelo povo Iorubá. Entre os vários Orixás que eram cultuados então Ogum, dono do ferro e do fogo, também defensor da ordem, grande guerreiro que abre caminhos e vende lutas, cuidando e protegendo os mais fracos e indefesos. Outro Orixá importante é Exú, senhor do princípio e das transformações.

De acordo com o Dicionário de Cultos Afro-Brasileiros de Olga Cacciatore, os Orixás são divindades intermediárias entre Olorum (o deus supremo) e os homens em terra. Na África eram cultuados cerca de 600 Orixás, destes foram trazidos para o Brasil cerca de 50, que estão reduzidos por volta de 16 no Candomblé e cerca de 8 na Umbanda. Mas muitos destes são considerados como antigos reis, rainhas e heróis divinizados, os quais representam as vibrações das forças e elementos da Natureza como raios, trovões, tempestades, águas, caça, colheita, rios, cachoeiras, como também grandes ceifadores da vida humana, representando as doenças e pestes epidêmicas; e ainda cobradores das leis sociais e do direito, como leis morais bem como as leis divinas por força da justiça santa do Criador através dos Exús.

No Brasil, cada Orixá foi associado a um santo da igreja católica, numa prática que ficou conhecida como sincretismo religioso. Iemanjá é sincretizada como Nossa Senhora da Conceição, na maioria doa estados brasileiros, sua data é comemorada em 08 de dezembro.

3. Origem mitológica dos Orixás

Segundo uma das diversas lendas populares, Obataâ (o céu) uniu-se a Odudua (a terra), e desta união nasceram Aganju (a rocha) e Iemanja (às águas). Iemanjá casou-se com seu irmão Aganju, com quem teve um filho de nome Orungã. Porém, Orungã apaixonou-se loucamente pela mãe. Até que um dia, aproveitando a ausência de seu pai, violentou-a. Iemanjá iniciou uma fuga, e fugindo de Orungã ela caiu de costas, e ao pedir socorro à Obatalá, seu corpo começou a ilatar-se enormemente, até que de seus seios começou a jorrar dois rios que formavam um grande lago, e quando seu ventre se rompeu por conta desta expansão, saiu de dentro de si a maioria dos Orixás. Por isso Iemanjá ficou conhecida como "a mãe dos Orixás".

4. Lendas e Histórias do Orixá Iemanjá

Dentre as lendas e segundo o conhecimento popular e das religiões de vertente espírita/africana Iemanjá é a rainha das águas doces, dona dos rios e cachoeiras bastante cultuada no Candomblé e na Umbanda. Seu nome te origem nos ternos do idioma Yorubá "Yèyé omo ejá", que significa "Mãe cujos filhos são como peixes". Mãe-d'água dos Iorubántes no Daomé, de Orixá fluvial africano passou a marítimo no Norte do Brasil.

Iemanjá chegou ao Brasil nos tempos coloniais, trazida pelos escravos que a cultuavam. Em terras africanas era conhecida como a deusa do rio Ogun, rainha das águas doces. "Entre nós, ela se tornou a rainha do mar".

Os cabelos negros, os traços delicados e os seios fartos simbolizam a bela divindade do arquétipo materno. Pois é esse seu grande valor: acolher a todos que lhe pedem ajuda, sem julgar nem diminuir a dor de ninguém. Esse seu perfil lhe confere ainda o título de deusa da compaixão, do perdão e do amor incondicional.

Uma das Orixás mais cultuadas nas religiões de matriz espírita/africana, suas lendas são inúmeras.

Uma delas conta que Iemanjá foi casada com Odeduá, com quem teve dez filhos Orixás. Devido amamentá-los, seus seios ficaram enormes. E infeliz com o casamento e cansada de morar na cidade de Ifé, certo dia ela saiu em rumo ao oeste e conheceu o rei Okerê, por quem se apaixonou. Envergonhada com seus seios, Iemanjá pediu ao novo marido que nunca zombasse dela por este motivo, e ele aceitou. Porém certo dia, embriagou-se e começou a ofendê-la. Entristecida, Iemanjá fugiu

Durante a fuga, ela quebrou um pote com uma certa, poção, recebida do pai quando ainda era uma menina, da qual carregava consigo para onde ia. Porém durante a queda a poção que era mágica, transformou-se num rio cujo leito seguia em direção ao mar. Okerê, que não queria perder a esposa, transformou-se numa montanha para barra o curso das águas. Iemanjá pediu ajuda ao filho Xangó e este, com um raio, partiu a montanha no meio. O rio seguiu em direção oceano e, dessa forma, a Orixá tornou-se a rainha do mar.

5. Nomenclaturas, cultura e identidade

Seu nome quer dizer também a mãe dos filhos-peixe. Filha de Olokum. No Brasil é considerado o Orixá mais popular festejado com festas públicas. Esse Orixá desenvolveu profunda influência na cultura popular, desde músicas, literatura e principalmente na religião, adquirindo progressivamente uma identidade consolidada conforme pode ser observado em suas representações nos mais diversos âmbitos, com diversas referencias em que essa imagem reúnes diversas divindades em uma só.

Uma delas é Dona Janaina com uma personalidade à parte, sedutora, sereia dos mares nordestinos, com cultos populares e acessíveis que em geral não representam uma liturgia. Já em outra versão, Iemanjá pode ser representada como mãe e esposa, carregando uma lenda arquetipada em mulher que sofre, mãe cuidadosa e genitora de muitas outras entidades.

Em outra versão mais voltada para a própria lenda ligada ao campo das águas, ela é representada como uma entidade que ama os homens do mar e os protege, porém quando os deseja, ela os mata e os torna seus esposos no fundo do mar.

6. Arquétipo

Conforme sua lenda, o arquétipo maternal consolidou-se sobretudo, como mãe de todos os Orixás. Iemanjá representa o poder progenitor feminino; é ela quem nos faz nascer, é a divindade que é a representação da maternidade universal, a "Mãe do Mundo".

Na concepção dos mitos populares ou os mitos Iorubás pode encontrar uma interpretação dos modelos sociais, históricos e místicos, que neles evidenciam uma visão ou traço de personalidade das deusas e deuses conforme os atributos místicos de cada Orixá. O modelo de arquétipo desta entidade pode ser elucidado como a visão primordial do feminino esculpida na "Grande Mãe", ficando principalmente nos padrões de comportamento de Orixá como código moral e social para aqueles que são seus "filhos" conforme a doutrina religiosa.

O arquétipo de Iemanjá é sem dúvida o que mostra a familiaridade entre as mulheres universais, de "mulheres-mães" que naturalmente constituem as diversas sociedades. O perfil de mãe e muitas vezes matriarca, aquela que concebe, alimenta e abriga os seus filhos é bastante similar a lenda desta Orixá. Pois além de ser genitora é também aquela que divinamente fecunda, concebe e cuida de suas proles com total amor e afetividade, independente da quantidade que possam ser, seu amor será o suficiente para receber e acolher todos eles.

7. O Arquétipo Orixá e a mulher Mãe

Esse modelo transportado para as mulheres, filhas dessa entidade na cultura religiosa, se refere aos traços de personalidade da entidade ao qual possuem similaridades, se refere a alguém obstinado, produtivo, adaptável, protetora, apaixonada, corajosa, porém as vezes arrogante e inflexível. Possui grande senso de posição e hierarquia, comando e respeito.

É alguém justo, mas formal; geralmente os consideram dedicados em suas amizades, em geral acha difícil perdoar uma ofensa e raramente se esquece de um erro, com isso está sempre colocando seus amigos para testes.

São generosos e bastante preocupados com os outros, bastante maternal e seria em todas as empreitadas das quais se dedica.

Embora a vaidade não seja um traço de sua personalidade, segundo a lenda sobre seu arquétipo, seus filhos, amam luxo, e gostam bastante de ostentar, e gostam de estilos de vida luxuosos, mas principalmente no que se refere aos cuidados, pertences e arranjos dela.

8. Orixá do Amor e da morte

Na mitologia dos Iorubás, morrer nas águas significa regressar as origens, voltar à mãe que lhe deu a vida, significa regressar ao seio sagrado e materno da deusa, dona de sua vida e seus caminhos. Na ideologia nagô, imaginavam regressar após a morte para uma nova vida, através da deusa mãe de todas as vidas.

Em todas as culturas e religiões que cultuam essa Orixá, existe a crença de que os seios também significam e materialização do abrigo sagrado da mãe genitora, cuidadora e protetora.

9. Sincretismo

Iemanjá também é sincretizada como Nossa Senhora dos Navegantes, título dado a Maria, Mãe de Jesus. A fé religiosa em Nossa Senhora dos navegantes tem início no século XV, com a navegação dos europeus, em especial os portugueses, que durante a navegação as pessoas que viajavam pelo mar, pediam proteção à Nossa Senhora para que retornassem bem às suas casas.

Maria era vista como uma santa protetora das tempestades e dos perigos que o mar poderia oferecer

Nossa Senhora dos Navegantes é também conhecida como Nossa Senhora das Candeias, Nossa Senhora da Boa Viagem e Nossa Senhora da Boa Esperança conforme a região em que é cultuada.

Imaculada Conceição ou Nossa Senhora da Conceição é, segundo o dogma católico, a concepção da Virgem Maria, sem mancha (em latim, macula) do pecado original. Cheia da graça divina, conforme seus dogmas livre de pecados.

11. Iemanjá e o sincretismo

O sincretismo nos mostra que a santa é vestida de alma limpa, cândida e pura independente da doutrina em que esteja inserida ou independente do nome que carrega em terra. Iemanjá na cultura mitológica é, sobretudo, uma divindade sincrética, com diferentes atributos de outros Orixás das águas.

Sua figura de Grande-Mãe ou a Grande-Deusa é o que lhe confere ser sincretizada como Nossa Senhora da Conceição, a Virgem Maria, mãe de Jesus, Filho de Deus. Maria foi escolhida para ser o ventre materno mais puro e sagrado para dar a luz ao "ser" mais puro, sagrado e elevado que já esteve nessa terra.

Diante deste sincretismo onde a "árvore da vida" é o ventre ordenado por Deus para dar a luz e ser a matriarca de vários outros seres que serão os frutos da terra, dando a luz a outros e outros seres. Iemanjá e Maria possuem equivalente importância em suas missões de serem "Grandes-Mães" concebendo a vida através do amor e da frutificação a muitos outros seres da terra. Pois enquanto uma possui grande importância dentro do panteão Iorubá a outra possui a mesma importância concebendo o Filho do Homem, pão da vida de todos os seres da terra. Ambas incorruptíveis, leais e fiéis as suas missões junto a Deus.

Por isso essa associação na concepção africana de sentido materno e fraterno está totalmente ligado a missão da Virgem Maria, mãe de Jesus, porque tanto uma quanto a outra está ligada a maternidade e principalmente ao processo de criação do mundo e da continuidade da vida.

Teologia Espírita
Iemanjá

1. Natureza Santa e os Santos

Deus é a natureza, e a natureza é Deus!

Pode nos parecer um tanto filosófico e difícil a compreensão divina entre nós através de tudo o que é natural, mas vou explicar e exemplificar de maneira bem simples para que o entendimento se torne fácil e útil para todos os irmãos.

Embora as religiões do mundo não consigam descrever a natureza divina, apenas a contemplação de vossa majestade através de tudo o que possa ser orgânico, inorgânico e natural, Deus é a natureza manifestada através da vontade de fazer vivas todas as coisas de terra.

Uma humanidade sem natureza não pode existir, porque longe da natureza não poderíamos caminhar em solo árido e cumprir nossas missões espirituais em campo terreno, pois tudo o que está em terra e é vivo, só pode ser vivo porque Deus derrama suas forças no campo terreno e faz tudo o que existe aqui ser vivo, assim como Ele mesmo.

E qual é o papel da natureza entre nós? Mais do que servir de elemento vivo para nossas vivas, é receber as energias santificadas de Deus para que possamos ser vivos assim tudo o que vem da terra e que é vivo porque Deus os permite.

Mas o que é a natureza? é a força santificada por Deus para abastecer a vida carnal, porque é sobre a natureza que Deus jorra todas as energias espirituais que o campo terreno precisa e também manipula as energias em terra existentes. Enquanto os Santos são as fontes de energia de Deus que emanam as energias espirituais santificadas para alimentar os encarnados de luz divina. A natureza é a fonte recebedora destas energias santificadas, atuando como um campo de recolhimento das fontes de energia direta de Deus.

Como funciona? A natureza é formada de vários elementos orgânicos e essenciais criados por Deus para que a vida na terra possa existir, e é através da natureza que Deus manipula a vida que nasce, cresce se alimenta e se finda em campo terreno. E tudo isso, só é possível por força da própria natureza que recebe as energias essenciais de Deus para essa missão de alimentarem os homens e mantê-los vivos, até o fim de suas missões. Mas tudo isso só é possível com a ajuda dos Santos.

E como isso acontece? Deus precisa jorrar sobre o campo terreno suas próprias forças espirituais, porém, as energias do Senhor Deus de tão grandes que são poderiam destruir o campo terreno. Imagine você colocar o planeta júpiter dentro de uma caixinha de sapato? Impossível não é? Isso é Deus, criador de todos nós, uma força descomunal e muitíssimo grande para colocar dentro do campo terreno. Então o Criador, criou e ordenou os Santos para que façam esse trabalho em seu nome. Isso quer dizer, ele criou e ordenou 7 distintas energias de poderes essenciais e as santificou, para que possam através desta divisão de forças em outras 7 fontes de energias, Ele mesmo sustentar os elementos orgânicos e os seres encarnados. E assim, conseguir manter todos os seres que possam existir igualmente vivos por ordem divina.

Por isso os Santos são a força divina que alimentam o campo natural e não a própria natureza, pois esta não possui vida por si própria, a não ser através do poder e da ordem de Deus de cumprir a missão de alimentar a vida da terra.

2. Porque representam as forças da natureza

Os Santos descarregam suas forças espirituais, compostas por luz divina e cheias de energia santificada sobre os elementos da natureza, eles não são a própria natureza, mas sim receptores das forças divinas e "derramadores" destas forças sobre a terra.

O poder de manipulação dos elementos naturais vem exatamente deste fato, pois ao mesmo tempo em que as recebem precisam também derramar, caso contrário seriam destruídos devido o tamanho da força que recebem e manipula. Então, derramar sobre algum elemento que pertence à em terra é a forma de trazer em terra as forças de Deus. E a natureza grandiosa e poderosa que é, recebe todas essas energias e as torna vivas tornando vivo tudo o que tem vida orgânica.

Por isso, as forças espirituais santificadas representam o poder da natureza, pois estão diretamente ligados ao poder natural dos elementos da terra, consagrados por Deus. E todas estas energias e formas de emanação nos direcionam ao Criador. Pois todas as criações estão ligadas a Ele por meio da verdade que se expressa na natureza e sem esta verdade não há vida na terra. Então, sem os elementos naturais não seria possível existir vida. Logo, os Santos são aqueles que representam o próprio pó da vida, da qual sem ar, água, terra, fogo e ar, não se pode existir vida.

3. Teologia espiritual e as águas oceânicas

"No princípio Deus criou o céu e a terra... Deus disse: faça firmamento entre as águas e as separe... Deus disse: que as águas embaixo do céu se juntem num mesmo lugar e apareça elemento árido... Deus chamou o elemento árido de terra, e o ajuntamento das águas mar.. Deus disse: produza a terra e as plantas, ervas que contenham semente e árvores frutíferas". (Genesis 1: 1-11)

Para compreendermos melhor como acontece o jorramento de energia espiritual divina sobre as águas oceânicas, é importante compreender um pouco sobre a ciência e a própria terra. Para estar melhor entendimento, falarei um pouco sobre a questão científica de forma que possamos compreender como Deus utiliza as coisas de terra e como as questões de terra ainda se encontram distante da compreensão humana.

Antes de qualquer explicação, é importante sabermos que o homem jamais alcançou o centro da terra, e que para chegar a este centro orgânico composto de diferentes componentes químicos e inúmeros gazes, divididos em inúmeras camadas; seria preciso ultrapassar a crosta terrestre e atingir o manto do planeta. Mas para chegar até o seu centro, precisaria atravessar por várias camadas, onde cada uma delas é formada tipos desconhecidos de substâncias, dentre elas até substancias tóxicas.

Até onde os cientistas puderam adentrar, sabe-se que existem nas áreas mais fundas e extremas, áreas compostas de materiais fundidos e sólidos. Ultrapassando estas unidades, existe o núcleo que é dividido em duas partes, sendo uma parte externa líquida e outra interna sólida, que sofre com altíssima pressão atmosférica. Porém, até hoje o homem não conseguiu realizar escavações na crosta terrestre, e é exatamente sobre isso que iremos falar aqui, a parte líquida que encontra-se no cume da terra.

Voltando para a questão teológica para formar o raciocínio e entendimento, já sabemos que os Santos recebem e derramam sobre a terra as energias santificadas por Deus, uma vez que essas energias são divididas em sete raios distintos de forças e emanações divinas.

A entidade espiritual santificada que recebe a ordem de Deus para jorrar uma determinada força de luz sobre o elemento oceânico, conforme as lendas e as culturas religiosas recebem o nome de Iemanjá.

Vejam, não me refiro às que correm até os oceanos, chamadas de mar ou águas marinhas, mas sim as águas que nascem do cume de terra da qual a humanidade ainda desconhece. Essas são as águas que recebem a robustez de forças de Deus para refrigerar o fosso da terra, limpando e energizando todo o campo terreno de baixo para cima, ou seja, do centro da terra para a superfície, através das águas. Garantindo que o centro da unidade terrena seja alimentado das energias de Deus, e essa energia possa transbordar e igualmente refrigerar e purificar as energias que correm e circulam em todo o campo terreno.

As águas são a fluidez de Deus, que sai do centro das camadas mais obscuras e servem de alicerce espiritual juntamente com os demais elementos orgânicos e inorgânicos, como exemplo as rochas e pedras que se encontram também no cume da órbita da terra para sustentar de forma orgânica e espiritual todo o campo natural e espiritual chamado planeta terra.

Essa ordem divina ocorre pela necessidade de garantir quer todas as partes do campo terreno, elementos divinos e espirituais, recebedores as energias de Deus, garantindo que nenhum canto do mundo deixe de ser alimentado e sustentado por Deus.

Porque assim como a atmosfera possui suas camadas de energia e vibra através de fontes espirituais divinas, assim acontece igualmente com a própria terra, que além de ser uma casa espiritual "morada de encarnados" cumpridores de suas missões é também um campo totalmente abastecido das energias de Deus, desde as águas, o solo, a atmosfera e tudo o que possa existir.

Isso nos prova que tudo o que possa existir em terra, é naturalmente vivo, pois recebe as energias através destas fontes espirituais, aos quais em terra chamamos de Orixás, para receberem e transportarem para o campo terreno as forças o amor, da caridade, da frutificação, da ciência, da sabedoria e conhecimento, da justiça e das fontes de vida e de morte, através das vibrações espirituais jorradas sobre algum ajuntamento de composição natural, ou seja, a própria natureza.

4. Segredos e mistérios do mar

Então as águas que nascem do cume, transbordam para a superfície e correm em direção ao mundo, carregam as energias que Deus e joga por sobre a terra. E é justamente estas energias que não nascem do campo terreno, mas são enviadas dos céus para o campo terreno e são jorradas sobre as águas oceânicas, as energias que sustentam o manto da terra e tudo o que possa existir acima dele, porque é essa energia que se junta com as demais energias também divinas, e também jorradas por Deus, assim como as forças as águas dos rios, a força do solo da terra que juntos sustentam as energias espirituais que correm e fazem os seres humanos poderem viver, por força que tudo o que nasce e crescer à partir destas energias que se juntam.

Toda a forma de segredo e mistério de Deus referente as águas oceânicas são de total desconhecimento dos encanados, uma vez que sequer o homem conhece o centro da terra, e as águas que lá correm e cumprem sua missão espiritual. O homem não possui compreensão sobre as atividades orgânicos no centro da terra justamente porque não possuem permissão divina para compreender o que secretamente acontece por questões divinas e espirituais, assim como pouco sabem sobre as questões da atmosfera e o que poderia acontecer no universo, pois a Deus pertence os segredos e mistérios que envolvem o campo terreno e tudo o que está fora dele. Ao encarnado, o Criador, deu a ele ciência, sabedoria e conhecimento, para exatamente aquilo que lhes for necessário, quanto ao restante, cumpre a ordem do mistério divino.

5. Iemanjá, santidade sobre águas oceânicas

Essa entidade também tem por missão, caminhar por sobre toda superfície e por debaixo dela para ser o sustentáculo espiritual e orgânico das sementes que brotaram os alimentos, pois estas necessitam de muita água para que possa nascer.

Outra das inúmeras funções das águas da superfície é carregar e transportar as energias captadas ao longo de seu percurso terreno para as desembocaduras marinhas, descarregando assim as forças que ficaram acumuladas em sua unidade, limpando e purificando as energias encontradas nos próprios elementos naturais e orgânicos das quais circulou.

6. Iemanjá, Orixá do mar

Quando falamos na força de Iemanjá, que é a Orixá que representa essa energia espiritual santificada, que derrama as forças de Deus o Criador em terra, mais precisamente sobre as águas profundas, logo pensamos em força de limpeza, refrigeração renovação ou em força de vida que são energias capazes de limpar, transformar, purificar e capacitar qualquer unidade encarnada de ser viva em campo terreno. Uma vez que somente as vibrações santificadas de Deus são capazes de nos dar a vida.

Em relação às águas santificadas do mar, isso acontece através do poder de refrigerar o cume da terra, os demais elementos orgânicos, bem como alimentar todas as vidas que já estão vivas e que ainda irão nascer, por força do seu transbordamento purificado por sobre a superfície do oceano.

A refrigeração da terra e dos encarnados bem como a purificação das energias e vibrações espirituais que circulam em campo terreno, somente é possível através desta imensa e interminável fonte de energia divina.

O mar é como uma entidade espiritual para todos nós, porém difícil de compreender porque faz parte dos mistérios de Deus, essa força é capaz de tocar todas as outras forças fazendo nascer uma imensa fraternidade espiritual fundida entre 7 forças divinas.

Essa força trata-se de um amor incondicional derramado sobre a terra, e não é uma questão de querer próprio, mas uma questão de que somos de certa forma seus afluentes e suas bacias, das quais necessitamos nos juntar e seguirmos juntos enchendo nossas bacias fluídicas pela mesma força que nos une.

Os rios com auxílio do mar e o mar com a ajuda dos seus afluentes e rios monta a estrutura espiritual que carrega a força de vida, não somente oceânica como terrestre também. São as águas quem abrem os caminhos da alma espiritual de cada coisa que exista orgânica ou naturalmente na terra. A água não é apenas o que nos refrigera, como também alimentam, limpam e purificam toda e qualquer energia contraria, alterando as forças e vibrações ruins.

Então esse Orixá que está ligado ao alimento espiritual, limpeza e purificação através da refrigeração da vida divina em cada ser, está diretamente ligado ao abastecimento de energia sagrada através das águas profundas, que possibilita as novas vidas serem sustentadas, pois somente a força das águas é capaz de se estender ao campo vibratório de purificação vibrando e derramando sobre os próximos, para que estes possam ser alimentados da força de Deus, das forças e energias orgânicas e cumprirem as suas missões espirituais.

"O rio só pode correr para o mar, a terra somente pode brotar, o fogo apenas pode forjar e o sol nada além do que brilhar. Por isso o espírito somente pode ser espírito

e a carne nada além do que carne, e a matéria apenas o auxílio do espírito que nela abriga para chegar ao Criador até o dia em que se findará no pó da terra que não é nada além do que a casa e o abrigo terreno"(Senhor Júlio Cesar Celestial).

Devocionário aos Santos e Servos de Deus

1. Abrigo divino

O campo terreno é um campo de lapidação de almas através das missões que cada espírito encarnado possui. Espiritualmente aqui, é um abrigo sagrado que recebe todas as forças, poderes e emanações de Deus, tornando-se uma casa sagrada para lapidação de almas. E somente se tornando uma casa sagrada poderia mostrar ao ser humano o poder de amor que o Criador possui, quando cria espiritualmente fontes de emanação de energia direta espíritos que recebem para encaminhar para a essa terra, tudo aquilo que somente Ele poderia que são as energias santificadas em forma de amor, caridade, bondade, frutificação, luz, sabedoria, conhecimento, ciência e poder de justiça que somente ele em verdade possui. Porque ainda que os seres de terra tenham tudo isso, esse tudo, foi recebido de algum lugar ou de alguém; e esse lugar é o campo celestial e esse alguém é o próprio Deus, através dos espíritos santificados.

Mas somente com todo esse preparo que a terra recebe e com todas essas emanações cheias de luz divina com o auxílio dos Santos, é possível nascer, crescer e cumprir missão aqui deste lado. Ainda que o campo terreno seja um campo de aprendizado, uma vez que todos os espíritos que aqui se encontram estão de alguma forma buscando sua evolução através de lições espirituais por força de alguma lição que esteja passando, lições estas que muitas vezes chamamos de dificuldades, aqui é o maior campo espiritual e sagrado de amor, caridade e bondade; porque Deus em sua eterna bondade além de nos criarmos espiritualmente, nos concede vivermos neste campo espiritual lindo e capaz de nos atender em todas as nossas necessidades.

Este é o único campo espiritual que possui águas límpidas para nos alimentar e refrigerar, solo sagrado para pisarmos e caminharmos, alimentos que brotam do chão para nos alimentarmos, as aves voam tranquilas e serenas, nos mostrando como a vida pode ser leve, tranquila e divina; aqui temos lindas paisagens e vegetações, oxigênio puro para nos abastecer, as vidas nascem e se renovam todos os dias. E tudo isso somente é possível com a santa e sagrada contribuição dos Santos, que são espíritos altamente preparados e sagrados em nome de Deus que os permitem serem o elo entre Ele e nós seres humanos, filhos aprendizes do que significa o amor verdadeiro

E os Santos que são estes elos que nos ligam à Deus são a representação do que é o amor divino em sua plenitude, pois tudo fazem por nós, e em nossos nomes. Sem nos perguntar absolutamente nada, sem se importarem se somos bons ou não uns com os outros, sem se importarem se somos verdadeiros em nossas caminhadas ou se estamos aprendendo as lições espirituais ou pregando e fazendo tudo ao contrário do que é a ordem divina. Então os Santos, são a mais pura representação da face de Deus, nos abençoando e nos trazendo luz divina, amor, caridade, piedade, compreensão e justiça divina em forma de alimento espiritual, para o corpo e para alma.

2. Conhecendo os Santos

Deus em vossa plenitude misericordioso permite que os espíritos mais altivos e preparados espiritualmente sejam vossos servos espirituais, nas lutas e serviços Santos, para que laço ou o elo espiritual jamais se quebre diante da vossa verdade. Os Santos são o poder que está em tudo e encontra-se em tudo, porque cada espírito santo e sagrado é uma ponta deste elo espiritual criado por Deus, para que todos estejam seguros embaixo do manto sagrado de Deus.

Isso quer dizer que mesmo diante das maiores dificuldades de terra, ainda que não possamos falar diretamente com o Criador e lhe pedir socorro, ainda assim existirão aqueles que carregam as forças e energias de Deus e irá levar nossas preces e nos ajudar diante de nossas dores e dificuldades.

O Pai Maior jamais nos abandonará, porque aonde existir uma intenção boa em vosso nome lá Ele estará, ainda que através de um de seus servos, os Santos, que carregam as vossas energias santificadas e vontade de nos acolher e nos cuidar em todos os momentos de nossas caminhadas terrena.

A bondade divina é eterna, por isso, ele nos abençoou com esses espíritos santificados para que jamais estejamos sozinhos e desamparados, porque ainda que Ele mesmo não adentre em espírito neste campo sagrado, sempre haverá um espírito preparado em vosso nome para nos socorre e nos abençoar representando ele mesmo, carregando as vossas próprias luzes.

E essa verdade não muda devido a igreja, ao templo, a casa espiritual; porque santo é santo em qualquer lugar, suas ações e missões independem dos encarnados. Porque ainda que estes possuam cargos e patentes de terra diante de suas doutrinas em nada suas vontades podem interferir naquilo que devem fazer em nome daquele que vos criou e vos ordenou a serem o que são. Por isso, os Santos não caminham sobre ordens e diretrizes de homens de terra, mas sim sobre as ordens e diretrizes espirituais que os regem e vos guardar em casas sagradas celestiais.

3. Falando com Deus através dos Santos

Falar com os Santos é falar com Deus, então não importa onde você esteja, ou em que momento da vida você esteja. Todas as vezes que procurar a intercessão divina através dos Santos eles estarão prontos para vos socorrer, afinal foram criados, preparados e ordenados para essa função. A maior alegria e prazer espiritual para um espírito é saber que o seu trabalho santo é de fato a luz e a salvação na vida daqueles que precisam de vossos auxílios.

Então não tenham medo de lhes invocar e pedir tudo aquilo que desejarem, santo é santo em qualquer lugar, pronto para auxiliar todos os necessitados. E não é porque um encarnado tem por guiador ou (pai e mãe) uma determinada unidade espiritual, ou um determinado espírito que não poderá recorrer suas preces ou devoção a outro espírito. Os Santos são espíritos criados justamente para nos atender, a missão deles na vida individual de cada encarnado, em nada interfere em relação a intercessão divina, porque uma coisa são as doutrinas de terra outra coisa, são as verdade e razões pelos quais estes espíritos foram criados.

Por isso não tenham medo de lhes invocarem em preces, músicas, sons ou a forma que lhes tocarem os corações, porque eles são as verdadeiras fontes de luz criadas por Deus para nos ajudarem e entre eles, não existem vaidades, desejos individuais, vontades próprias, quereres exclusivos, competições ou nada que se refira aos sentidos humanos e encarnados, apenas energia espiritual divina de luz, amor e caridade.

4. Santificados sejam todos os Santos
Devoção aos Santos Espíritos

Santificados sejam todos aqueles que estejam dispostos a trabalharem em nome de Deus para servir ao Criador em favor dos homens da terra, sendo as fontes de energias diretas de Deus para que os homens sejam nutridos e alimentados em todas as suas necessidades de homens. Evocados em nome da santidade que é Deus, sejam todos os espíritos que distribuem luz, amor e caridade, sem pedir nada em troca, apenas pelo compromisso e a missão espiritual para que sejamos aliviados de nossas dores e opressões de homens.

Iluminados sejam todos aqueles que escutam e temem a Deus em todos os vossos dias, pois estes sabem quem é o verdadeiro Deus e a vossa verdadeira força de vida e de morte, ainda que estas estejam distribuídas através dos Santos em prol dos que caminham sobre o verdadeiro espírito de luz e de bondade, único capaz de dar e de tirar ávida dos filhos da terra.

Louvados sejam todos aqueles que abrindo mão de suas próprias unidades, atuam única e exclusivamente a atender as vontades do senhor Deus para que toda as vossas determinações sejam cumpridas

Abençoados todos os que se sacrificam e se imolam em nome da força maior e do poder supremo, não por medo do fim e da morte, mas por devoção de amor e de verdade a o Deus maior, criador de todas as coisas. Amém.

5. Benditos sejam todos os Santos
Devoção aos Santos Espíritos

Benditas sejam todas as almas, que ainda que vivam sobre a luz de Deus, caminha nas escuridões dos infernos e dos abismos de sofrimento e de dores para auxiliarem aqueles que mais precisam do amor divino, pois ainda que estejam perdidos e cegos de vossas verdades sempre terão irmão disposto em vos auxiliar, ainda que isso custe as vossas próprias vidas distantes dos paraísos.

Louvados sejam todos os que se entregam em amor e em verdade, até que o fim lhes consolem, ainda que caminhem dentro e fora dos vales escuros e sombrios da morte, por amor e em amor ao vosso Senhor Deus que vos ordena, ilumina e guarda embaixo de vosso sagrado, porém doloroso manto de paz, amor e de bondade.

O livro sagrado, a Bíblia Real Espírita, nos

conta que ás águas não são "qualquer água", mas águas sagradas, águas que limpam e purificam nossos corpos e almas, assim como limpam e purificam o campo terreno de tudo que possa ter energia contrária as cosias e emanações boas. São águas naturalmente santificadas.

As sagradas escrituras nos convidam a conhecer essa sagrada Senhora, arquétipo feminino, que banha-se e cobre toda a superfície do mais puro e divinal elixir que leva até a superfície as mais nobres e santificadas energias celestiais para alimentar e dar vida a tudo ao que possa ser vida em terra.

As correntes que correm em direção aos oceanos representam os segredos divinais em terra, seguindo em direção à da "mãe água" para se fortalecerem e ganharem força diante do seio da robustez de forças que somente uma mãe tem, abraçando e recebendo tantos quantos forem seus filhos. Porque as águas são também a representação do ciclo da vida que faz nascer, crescer e também deixar morrer.

E as águas também nascem, se fortalecem, cumprem a sua missão de alimentar, energizar, curar, refrigerar e depois voltam para o seio de vossa matriz ou matriarca "mãe água" para descansarem, se limparem e se purificarem, até que chegue novamente o dia em que terão que sair pelas portas espirituais dos mares se desembocando em novas missões para darem continuidade a missão de levar água viva a todos os filhos de Deus.

Mar sagrado

O mar não é um lugar, e sim um campo espiritual de energia celestial feito para nutrir os homens da terra e a si mesma. Nossos anseios pelos mistérios que ela tem fazem parte dos nossos instintos sagrados tentando descobrir partes de nos mesmos. Por isso não se trata de uma simples curiosidade, mas de uma consciência superior tentando encontrar sua origem espiritual, origem essa que em terra se liga as outras coisas sagradas que também se encontram e se fundem de maneira organiza, como que uma imensa fraternidade criada por Deus para unir todos os homens por meio de todas as fontes espirituais e orgânicas, distribuídos uniformemente chamados de elementos fundamentais.

Ela não é um arquétipo, embora carregue um arquétipo. Ela é uma força inigualável, inesgotável e única que traz a humanidade um dos mais poderosos segredos de Deus, para alimentar a vida terrena de maneira abundante e magistral. E sendo exatamente o que é. Um dos seus segredos é carregar tanto a vida quanto a morte, porque a mesma água que pode alimentar a vida, também pode matar uma vida pela falta dela, pelo excesso dela ou pela falta de prudência diante dos segredos que ela carrega.

Por isso, embora seja uma fonte de energia espiritual de fácil acesso à todos, é também um divisor sagrado entre os dois mundo, um mundo o campo terreno onde se estabelece e o outro o campo celestial de onde nascem as energias que abastecem essa fonte espiritualmente. Por isso se refere as camadas mais profundas da terra capaz de curar e restabelecer qualquer ser que possui igualmente duas vertentes, onde uma vertente é orgânica e a outra a vertente espiritual.

Portanto o nosso amor e respeito a essa fonte divina de amor e vida recoberta de cura, vida e milagres divinos.

Esta obra tem por objetivo apresentar e divulgar a fonte mestra de conhecimento, doutrina e aprendizado que se trata de A Bíblia Real, que é a revelação espiritual mais importante dos últimos dois mil anos. A Bíblia Real é a primeira bíblia espírita do mundo, foi escrita através de "inspiração divina" e contém a mais pura sabedoria espiritual, trazida pelos próprios espíritos conhecedores dos caminhos que guiam os campos onde é preciso ser conhecedor da evolução do sagrado e do amor divino.

A BÍBLIA REAL
ESPÍRITA

CONHEÇA A BÍBLIA REAL, A PRIMEIRA BÍBLIA ESPÍRITA DO MUNDO

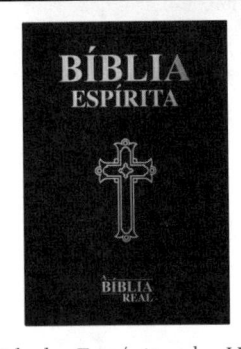

Comunidade Espírita de Umbanda Coboclo Ubirajara

Rua Doutor Almeida Nobre, 96
Vila Celeste - São Paulo - SP
CEP: 02543-150

- www.abibliaespirita.com.br
- @abiblia.espirita
- A Bíblia Espírita
- A Bíblia Real / Bíblia Espírita
- faceboook.com/cabocloubirajaraoficial/
- faceboook.com/exuecaminho
- faceboook.com/babalaopaipaulo
- faceboook.com/claudiasoutoescritora
- contato@editorarochavera.com.br

Editora Rochaverá

Rua Manoel Dias do Campo, 224 – Vila Santa Maria – São Paulo – SP - CEP: 02564-010
Tel.: (11) 3951-0458
WhatsApp: (11) 98065-2263

EDITORA ROCHAVERÁ

IEMANJÁ |64| Lendas, arquétipo e teologia